NUMBERS

M 매스티안

팩토슐레 Math Lv. 1 교재 소개

" 우리 아이 첫 수학도 창의력을 키우는 FACTO 와 함께! "

● **팩토슐레**는 처음 수학을 시작하는 유아를 위한 창의사고력 전문 프로그램입니다.

● **팩토슐레**는 만들기, 게임, 색칠하기, 붙임딱지 붙이기 등의 다양한 수학 활동을
하면서 스스로 수학 개념을 알 수 있도록 구성하였습니다.

수 (NUMBERS)
도형 (SHAPES)
측정 (MEASUREMENT)
규칙 (PATTERNS)
연산 (OPERATIONS)
문제해결력 (PROBLEM SOLVING)

※ 팩토슐레는 6권으로 구성되어 있으며, 각 권에는
30가지의 재미있는 활동이 수록되어 있습니다.

누리과정

팩토슐레는 누리과정 · 초등수학과정을 연계하여 수학의 5대 영역
(수와 연산, 공간과 도형, 측정, 규칙, 문제해결력)을 균형 있게
학습할 수 있도록 하였습니다.
특히 가장 중요한 수와 연산은 각 권으로 구성하여 깊이 있는 학습이
가능하도록 하였습니다.

STEAM PLAY MATH

팩토슐레는 4, 5, 6세 연령별로 학습할 수 있도록 설계한 놀이
수학입니다.
매일매일 놀이하듯 자르고, 붙이고, 색칠하는 30가지의 재미있는
활동을 통해 창의사고력을 기를 수 있습니다.

동화책풍의 친근한 그림

팩토슐레는 동화책풍의 그림들을 수록하여 아이들이 수학을 더욱
친근하게 느끼며 좋아할 수 있도록 하였습니다. 또한 한글을 최소
화하고 학습 내용을 직관적으로 이해할 수 있도록 하였습니다.

팩토슐레 Math Lv. ❶ 교구·App 소개

" 수학 교육 분야 **증강현실(AR)**과 **사물인식(OR)** 기술을 **국내 최초 도입** "

교구를 활용한 App 학습 프로세스

① 거치대와 반사경 설치
② App 실행
③ 교구로 문제 해결
④ 사물인식 기술을 활용하여 교구 인식
⑤ 정답과 오답 체크

자기주도학습 [팩토슐레 App만의 장점]

팩토슐레 App은 사물인식(OR) 기술을 사용하여 아이들의 학습 정보를 습득한 후, App에 프로그래밍된 학습도우미를 통하여 아이들이 문제 푸는 것을 힘들어하거나 틀릴 경우에는 힌트를 제공합니다.
이와 같은 방식의 스마트기기와의 상호작용은 학습의 효율을 높이고 자기주도학습 능력을 길러 줍니다.

완벽한 학습 설계 App [다른 교육 App과의 차별점]

팩토슐레 App은 수학 교육 목표에 맞게 완벽한 학습 설계가 되어 있습니다. 아이들은 게임 기반의 학습 App을 진행하면서 어려운 문제도 술술 풀 수 있습니다.

증강현실(AR) 기술 도입

팩토슐레 App은 아이들이 캐릭터와 사진도 찍고, 자신이 그린 그림으로 자기만의 쿠키도 만들면서 학습 몰입도를 높일 수 있습니다.

01 창문이 많은 커다란 집이 있어요. 문을 열면 친구들이 보이네요. 각 문마다 **몇 명의 친구들이 있는지** 세어 보고, **알맞은 숫자를 붙여 보세요.** 붙임딱지 **1** 활동지 **1**

1 명

1 명

2 명

1 명

2 명

엄마는 선생님! 친구들의 수를 '일, 이'와 같이 읽으며 세어 수 1, 2로 나타낼 수 있도록 합니다.

02 친구들이 꽃을 심고 있어요. 알록달록 예쁜 화분도 많이 있네요. 화분에 쓰인 **수만큼** 꽃을 붙여 보세요. 붙임딱지 ①

친구들이 어린이 서점에 왔어요. 재미있는 동물책이 가득하네요. 각 책 속에 동물이 **몇 마리** 있는지 세어 보고, **알맞은 숫자를 붙여 보세요.** 붙임딱지 ❶ 활동지 ❶

3 마리

4 마리

3 마리

4 마리

3 마리

붙이는 곳

붙이는 곳

붙이는 곳

BEAR HOUSE

붙이는 곳

멋쟁이 여우

붙이는 곳

엄마는 선생님! 동물의 수를 '일, 이, 삼, 사'와 같이 읽으며 세어 수 3, 4로 나타낼 수 있도록 합니다.

04 칙칙폭폭 기차가 달려가네요. 기차에는 친구들이 많이 타고 있어요. 기차에 쓰인 **수만큼 친구들을** 붙여 보세요. 붙임딱지 ①

친구들 붙이는 곳

친구들 붙이는 곳

3

4

4

친구들 붙이는 곳

4

3

수 3, 4만큼 친구들을 붙여 3, 4의 크기를 알 수 있도록 합니다.

친구들이 숫자 퍼즐을 맞추고 있어요. 여러 가지 모양 조각이 흩어져 있네요. 각 조각에 있는 그림을 보고, **숫자 퍼즐**을 완성해 보세요. 활동지 ②

친구들이 공원으로 소풍을 왔어요. 나무에 앉은 새와 나비, 벌들도 보이네요. 동물의 수를 세어 보고, 빈 곳에 **알맞은 숫자** 또는 **무당벌레**를 붙여 보세요. 붙임딱지 ① 활동지 ①

플랩북 만들기 아이와 함께 하기 전 엄마가 먼저 플랩북을 완성해 주세요.

5
무당벌레 붙이는 곳
붙이는 곳
붙이는 곳

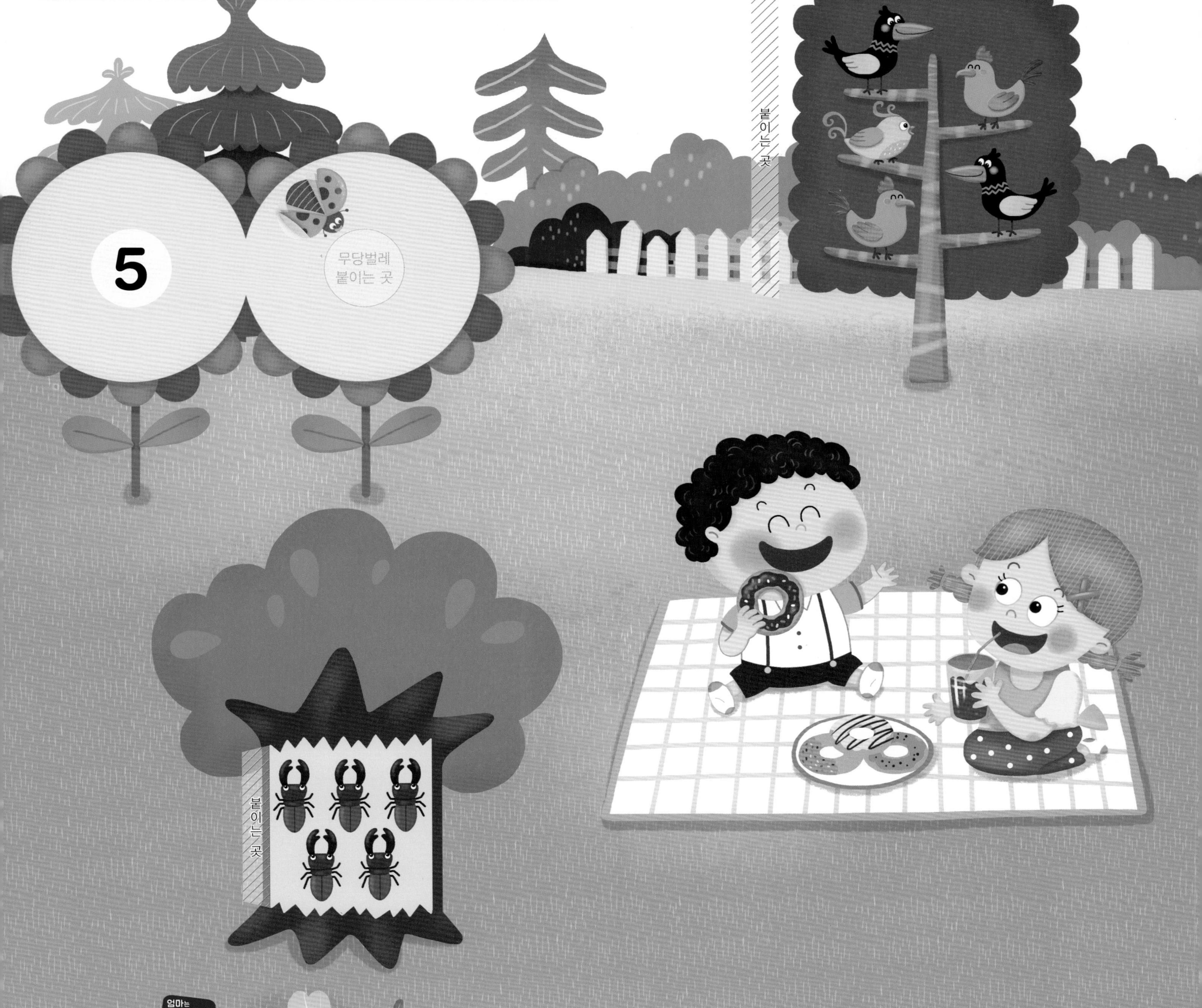

엄마는 선생님! 새와 곤충의 수를 '일, 이, 삼, 사, 오'와 같이 읽으며 세어 수 5로 나타낼 수 있도록 합니다.

친구들이 물고기를 잡고 있어요. 어떤 물고기들이 있을까요? 숫자를 보고 **알맞은 물고기를 붙여** 친구들이 잡고 있는 물고기를 알아보세요. 활동지 ③

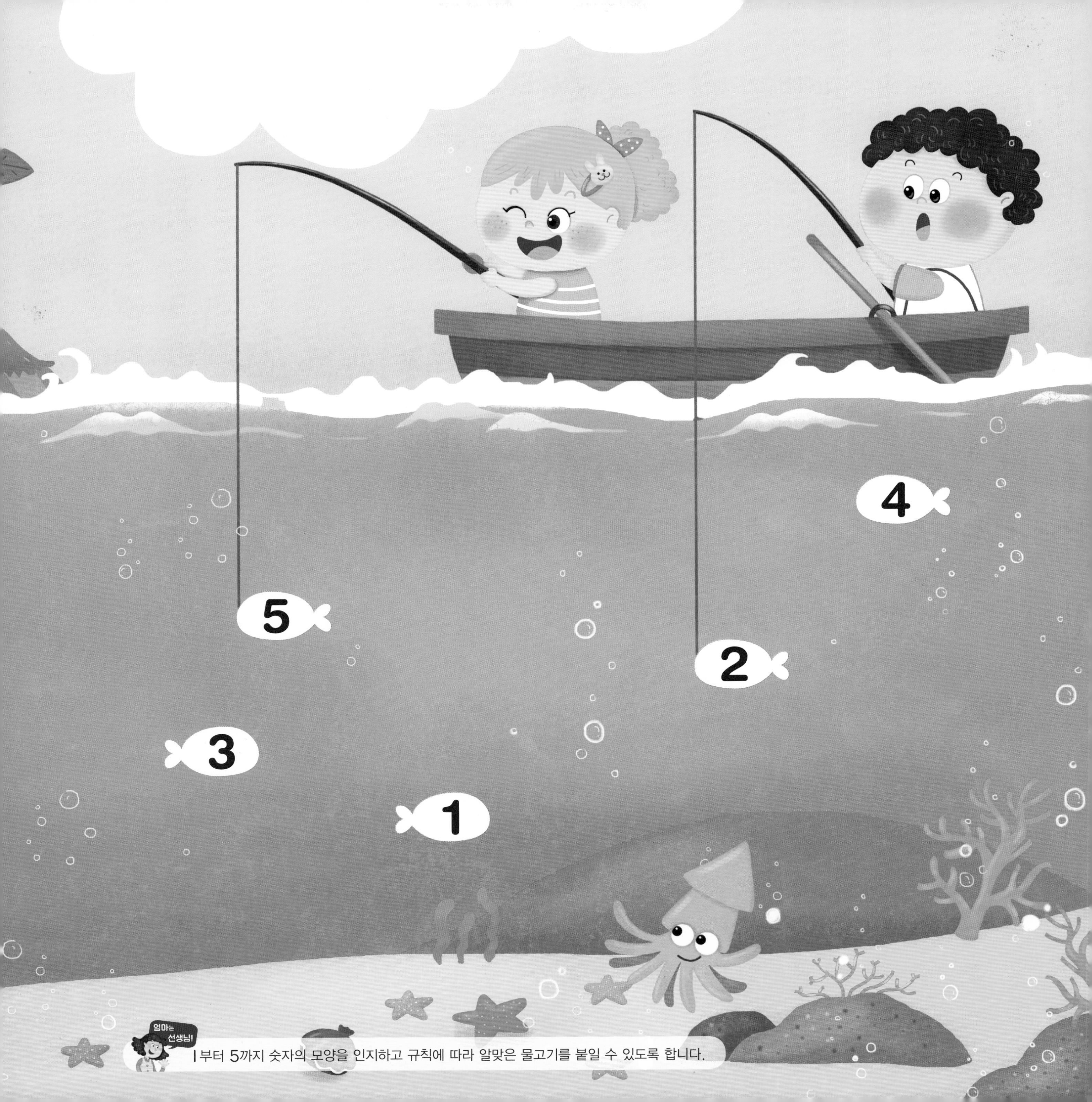

1부터 5까지 숫자의 모양을 인지하고 규칙에 따라 알맞은 물고기를 붙일 수 있도록 합니다.

즐거운 간식 시간이에요. 오늘의 간식은 꿀떡이네요. 친구들이 말하는 **수만큼** 꿀떡을 접시에 나누어 주세요. 붙임딱지 ①

❶ 숫자 카드 10장, 토끼와 원숭이 상자, 당근과 바나나를 준비합니다.

❷ 숫자 카드를 잘 섞어 뒤집어 바닥에 놓고, 토끼와 원숭이 상자를 하나씩 나누어 가집니다.

❸ 가위바위보를 하여 이긴 사람이 먼저 1장의 숫자 카드를 뒤집고, 나온 수만큼 자신의 동물에게 먹이를 줍니다.

2이면 당근 2개

❹ 번갈아 가며 카드를 뒤집어 먹이를 주고, 카드가 다 없어지면 게임이 끝납니다. 이때 먹이를 더 많이 준 사람이 이깁니다.

이겼다!

얼마는 선생님! 당근과 바나나의 수를 비교할 때 하나씩 늘어놓아 더 긴 사람이 많다는 것을 직관적으로 알 수 있도록 합니다.

09 친구들이 농장에 놀러 왔어요. 농장에 많은 동물들이 있네요. 농장에 있는 동물은 각각 **몇 마리인지** 세어 보고, **알맞은 수를 붙여 보세요.** 붙임딱지 ①

마리 　　　 마리 　　　 마리

마리 　　　 마리 　　　 마리

숫자
붙이는 곳

숫자
붙이는 곳

숫자
붙이는 곳

숫자
붙이는 곳

11 친구네 장난감 정리함이에요. 종류별로 정리가 잘되어 있네요. **몇 개의 장난감**이 있는지 세어 보고, 알맞은 숫자를 붙여 보세요. 붙임딱지 ① 활동지 ⑥

6 개

7 개

6 개

7 개

붙이는 곳

붙이는 곳

붙이는 곳

붙이는 곳

 엄마는 선생님! 장난감의 수를 '육, 칠'과 같이 읽으며 세어 수 6, 7로 나타낼 수 있도록 합니다.

꽃밭에 예쁜 꽃들이 피어 있어요. 알록달록 여러 가지 색깔의 꽃이 있네요. **꽃에 쓰인 수만큼 꽃잎을 붙여 보세요.** 붙임딱지 ①

3

4

5

꽃잎 붙이는 곳

6

꽃잎 붙이는 곳

7

13 친구들이 소풍을 왔어요. 도시락마다 맛있는 간식들이 가득하네요. 도시락에는 **몇 개의 간식**이 있는지 세어 보고, **알맞은 숫자**를 붙여 보세요. 붙임딱지 ① 활동지 ⑥

8 개

9 개

9 개

8 개

붙이는 곳

쩨응매 恢

쩨응매 恢

쩨응매 恢

엄마는
선생님!

음식의 수를 '팔, 구'와 같이 읽으며 세어 수 8, 9로 나타낼 수 있도록 합니다.

생일 파티를 하고 있어요. 아주 맛있게 생긴 큰 케이크가 있네요. **나이만큼 초를 붙여 보세요.** 붙임딱지 ①

수 8, 9만큼 초를 붙여 8, 9의 크기를 알 수 있도록 합니다.

15

여러 종류의 공룡들이 있어요. 공룡들의 알이 놓여 있는 둥지도 있네요. 둥지에 쓰인 **숫자를** 보고
알맞은 공룡알을 붙여 보세요. 활동지 **3**

공룡알
붙이는 곳

공룡알
붙이는 곳

6

공룡알
붙이는 곳

공룡알
붙이는 곳

공룡알
붙이는 곳

7

공룡알
붙이는 곳

공룡알
붙이는 곳

공룡알
붙이는 곳

8

공룡알
붙이는 곳

공룡알
붙이는 곳

공룡알
붙이는 곳

9

주어진 숫자를 보고 알맞은 공룡알을 찾아 붙이는 활동을 통해 수의 양감을 기릅니다.

16 친구들이 사탕 가게에 왔어요. 각자가 좋아하는 사탕을 고르느라 정신이 없네요. 사탕을 세어 보고, 빈 곳에 알맞은 **숫자** 또는 **사탕**을 붙여 보세요. 붙임딱지 ❶ 활동지 ❸

플랩북 만들기 아이와 함께 하기 전 엄마가 먼저 플랩북을 완성해 주세요.

10개
사탕 붙이는 곳
붙이는 곳
10개
사탕 붙이는 곳
붙이는 곳

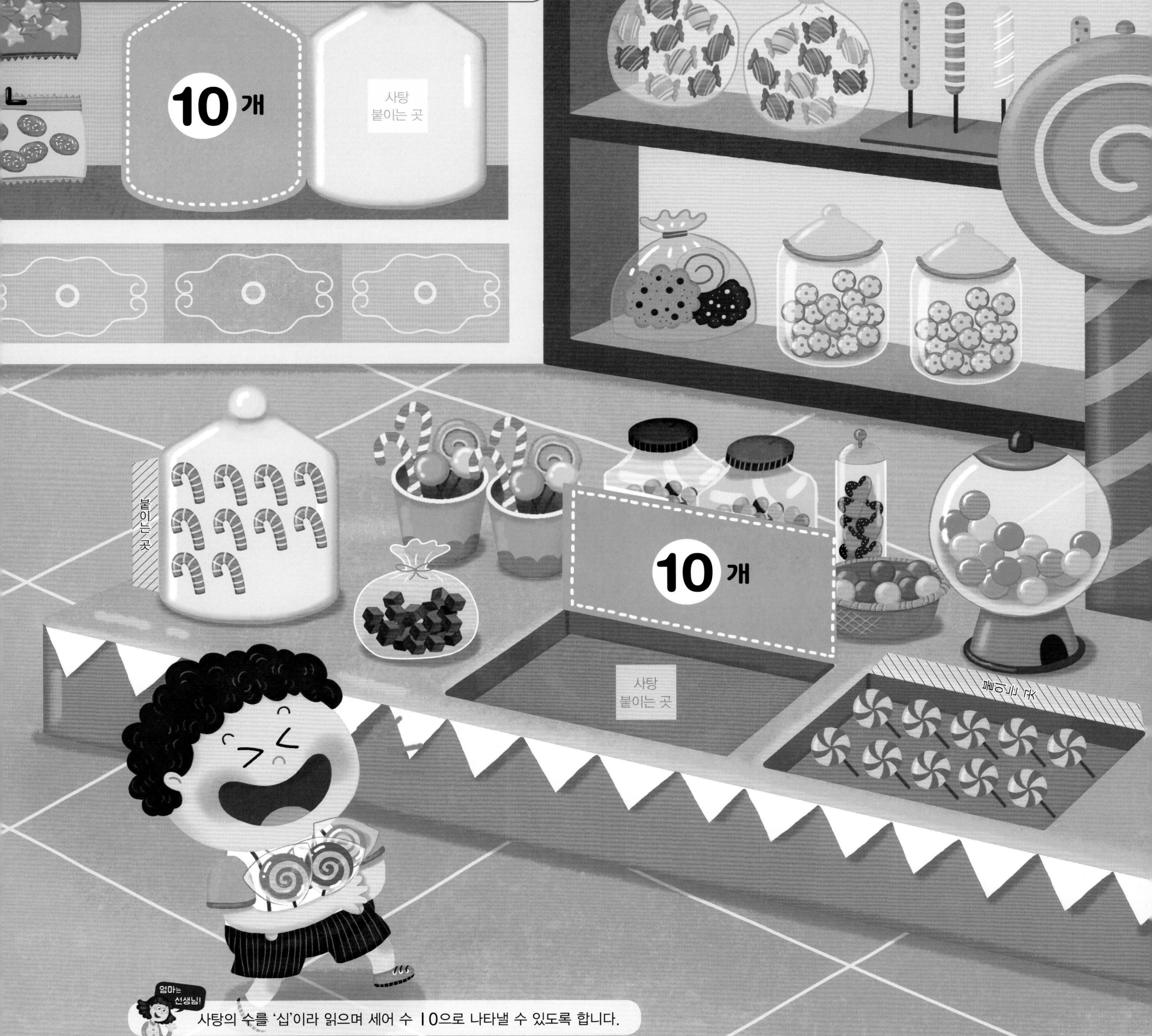

엄마는 선생님!
사탕의 수를 '십'이라 읽으며 세어 수 10으로 나타낼 수 있도록 합니다.

17 친구들이 바닷가에서 놀고 있어요. 바닷가에 있는 동물은 각각 **몇** 마리인지 세어 보고, **알맞은 수를** 붙여 보세요. 붙임딱지 ①

마리
마리
마리
마리
마리
마리

18 꿀벌이 벌집으로 가려고 해요. 6부터 10까지의 수를 순서대로 반복해서 지나 벌집으로 가는 방법을 찾아보세요.

숲속 강을 따라 친구들이 배를 타고 가고 있어요. 그곳에는 **1부터 9까지의 숫자**가 숨어 있대요. 숨어 있는 숫자를 모두 찾아 ○표 하세요.

친구들이 비오는 날 밖에서 재미있게 놀고 있어요. 같은 색 점에 쓰여 있는 **1**부터 **10**까지의 수를 순서대로 이어서 어떤 그림이 숨어 있는지 알아보세요.

우리 주변에는 여러 가지 모양의 숫자들이 있어요. **숫자**들의 모양을 관찰하고 이야기해 보세요.
또 활동지로 숫자를 만들어 보세요.

❶ 디지털 숫자 막대 7개를 준비합니다.

❷ 디지털 숫자의 모양을 보고, 막대를 올려 0부터 9까지의 숫자를 만듭니다.

0 1 2 3 4 5 6 7 8 9

친구들이 **숫자를 겹쳐서** 그림자 놀이를 하고 있어요. 그림자를 자세히 살펴보고 **어떤 숫자들이** 겹쳐져 있는지 말해 보세요.

| 부터 **9**까지의 숫자의 모양을 생각하며 그림자에 비친 숫자를 관찰하여 어떤 숫자인지 알아보도록 합니다.

별이 반짝이는 사막에 친구들이 있어요. 낙타를 탄 친구도 있네요. 그곳에는 **1**부터 **9**까지의 숫자가
숨어 있대요. 숨어 있는 숫자를 모두 찾아 ○표 하세요.

1부터 9까지 숫자의 모양을 익혀 그림 속에서 숫자를 찾을 수 있도록 합니다.

24 친구들이 맛있는 요리를 하고 있어요. 같은 색 점에 쓰여 있는 **1부터 10까지의 수**를 순서대로 이어서 어떤 **요리 도구**들이 있는지 알아보세요.

25 친구들이 **1부터 10까지의 수**가 쓰인 카드를 가지고 놀이를 하고 있어요. 뒤집힌 카드에 쓰여 있는 수를 찾아 **알맞은 카드**를 놓아 보세요. 활동지 **5**

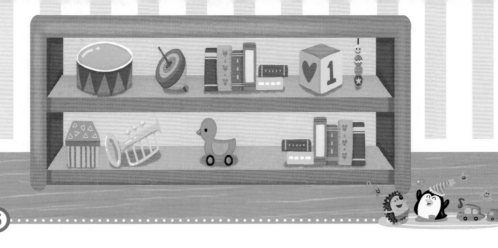

❶ 1부터 10까지 수 카드를 준비합니다.

❷ 카드를 잘 섞어 1장의 카드는 바닥에 뒤집어 놓고, 나머지 카드는 수가 보이도록 빠르게 펼쳐 놓습니다.

❸ 뒤집힌 카드의 수를 찾은 사람은 "팩토"라고 외친 후, 수를 이야기합니다. 만약 틀린 경우 상대편에게 차례가 돌아갑니다.

팩토! 8

❹ 뒤집힌 카드의 수를 맞힌 사람이 이깁니다.

이겼다!

❺ 번갈아 가며 여러 번 게임을 합니다.

26 친구들이 활동지를 이용하여 가로 또는 세로로 6부터 10까지의 수가 써 있는 곳을 찾고 있어요. 친구들을 도와서 **6부터 10까지 차례대로 수가 있는 곳을 찾아 색칠**해 보세요. 활동지 ⑨

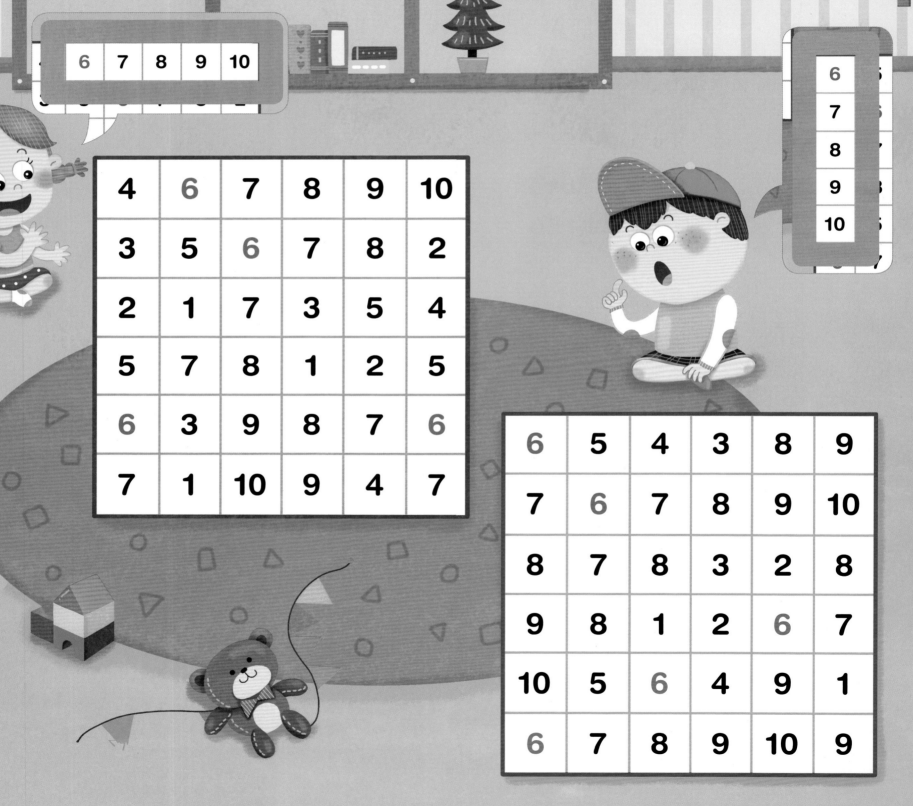

1	2	3	5	7	8	9	2	6
6	4	2	7	8	9	1	3	7
7	6	5	4	3	2	6	7	8
8	1	7	5	4	6	7	8	9
9	2	8	7	4	5	8	9	10
10	3	4	6	7	8	9	10	8
3	2	1	7	1	2	10	6	7
4	6	7	8	9	10	4	5	6
6	7	8	9	6	7	8	9	10

친구들이 재미있는 그림 퍼즐을 맞추고 있어요. 퍼즐 판에 **쓰인 수**와 **퍼즐 조각**에 있는 그림의 개수가 **같은 것**을 찾아 그림 퍼즐을 완성해 보세요. 활동지 7 8

1부터 10까지의 수와 그림의 개수를 하나씩 대응하며 퍼즐을 완성할 수 있도록 합니다.

28 우리 주변에는 많은 수들이 있어요. 엘리베이터에도, 휴대전화에도 있어요. 또 **어느 곳에 수가 있는지** 이야기해 보고, **빠진 수를 찾아** 알맞게 붙여 보세요. 붙임딱지 **1**

구불구불 기다란 뱀 모양의 게임판이 있어요. **돌림판**을 사용하여 재미있는 **게임**을 해 보세요.

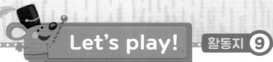 Let's play! 활동지 **9**

❶ 순서를 정하고 번갈아 가며 돌림판을 돌려 나온 수만큼 게임말을 움직입니다.

❷ 도착한 곳에 작은 뱀이 있으면 작은 뱀이 가리키는 곳으로 움직입니다.

❸ 도착점에 먼저 도착하는 사람이 이깁니다.

출발

도착

사탕이 나오는 기계예요. 두 기계에서 나온 사탕의 수를 세어 보고, **두 수의 크기를 비교**하여 말해 보세요. 또 **더 많은 사탕**을 들고 있는 친구를 찾아보세요.

Let's study! ─ 활동지 ⑤ ⑨

❶ 1부터 10까지의 카드를 섞은 다음 1장씩 사탕 기계 위에 올려놓습니다.

❷ 카드에 적힌 수만큼 사탕이 나오는 곳에 사탕들을 올려놓습니다.

❸ 올려놓은 사탕들을 비교하여 큰 수를 말해 봅니다.

6이 4보다 큽니다.

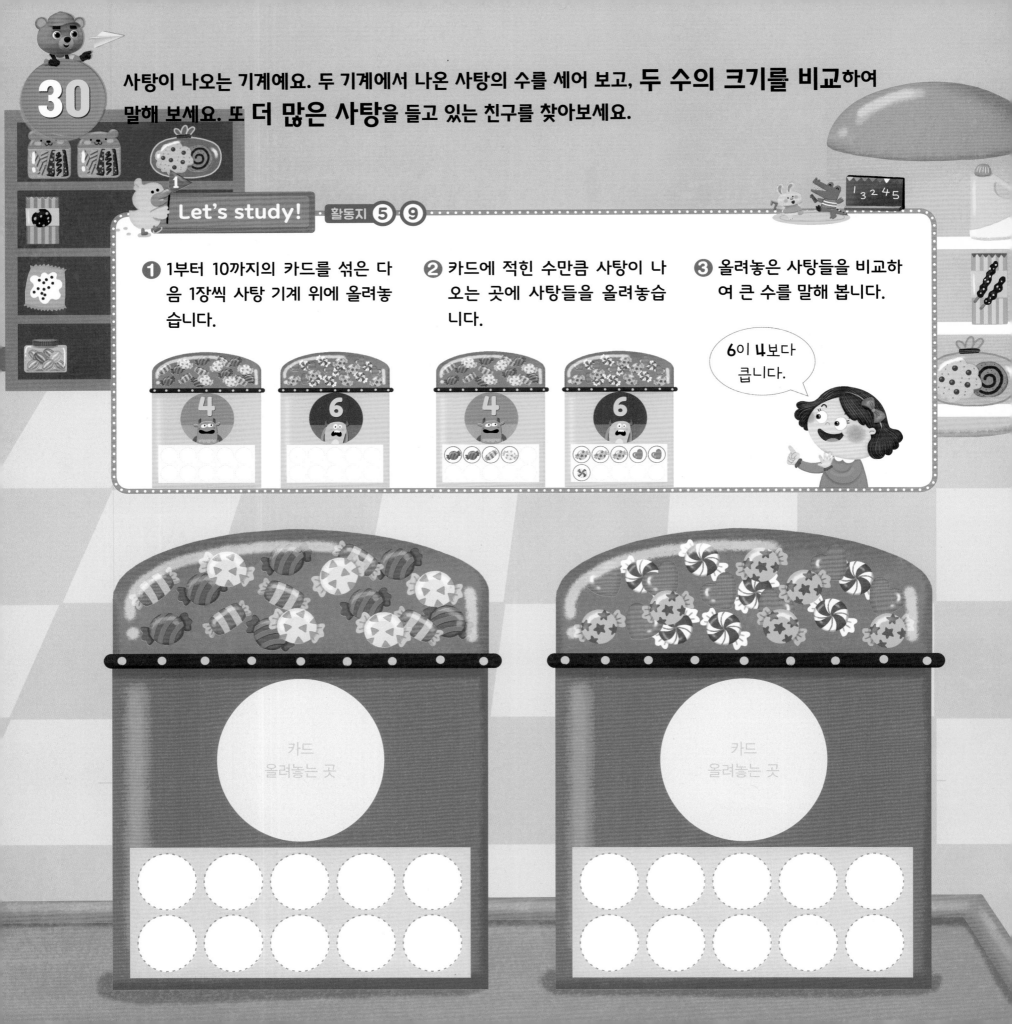

MEMO

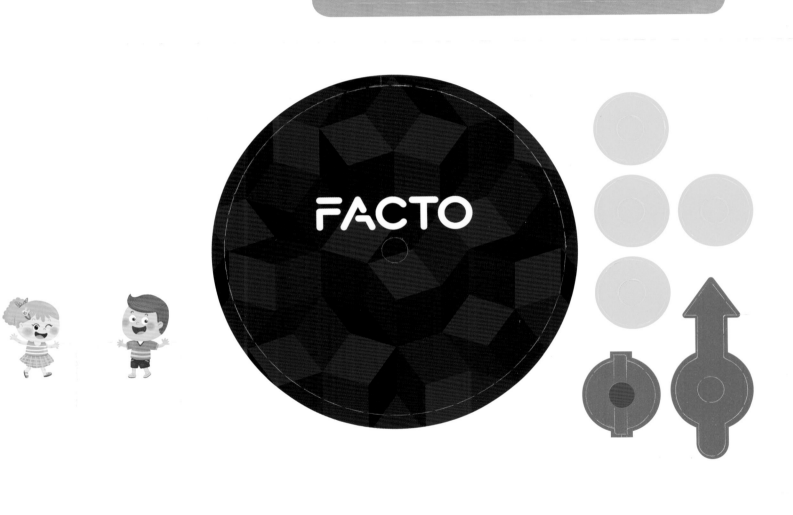

㉖

㉙

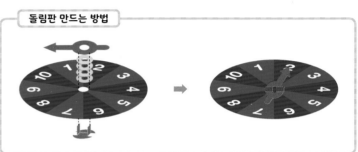

돌림판 만드는 방법

게임말 만드는 방법

접어서 세웁니다.

㉚

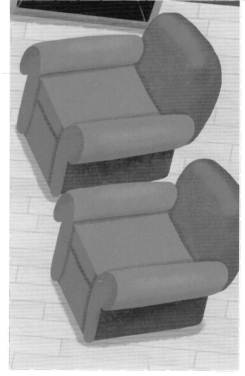

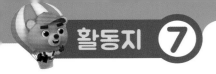

 27

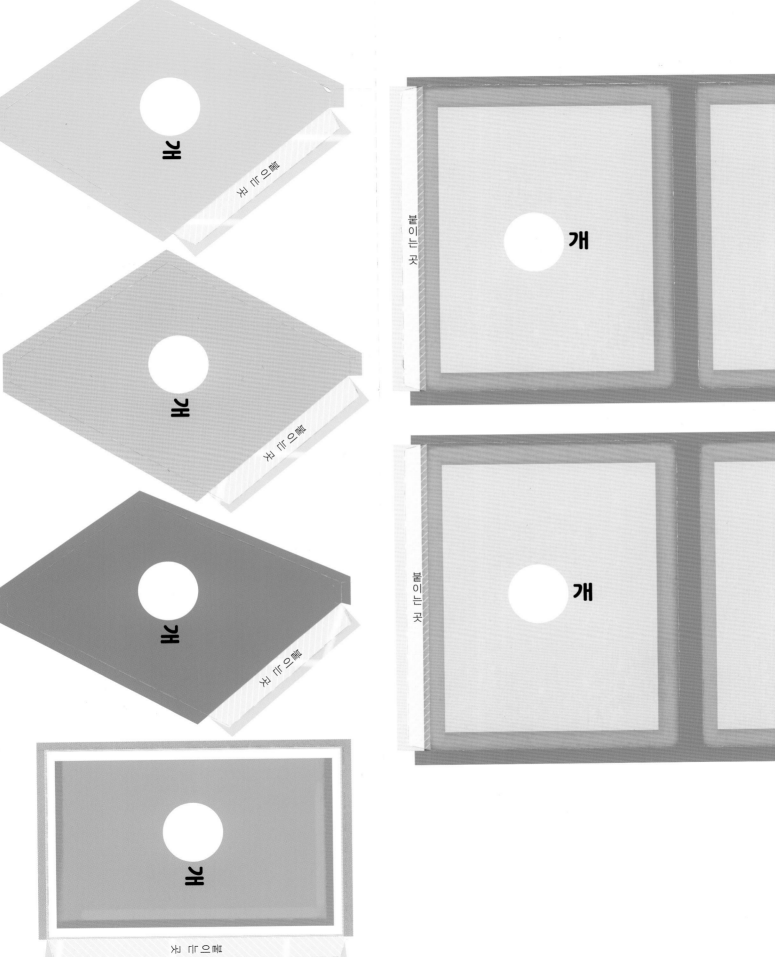

11

13

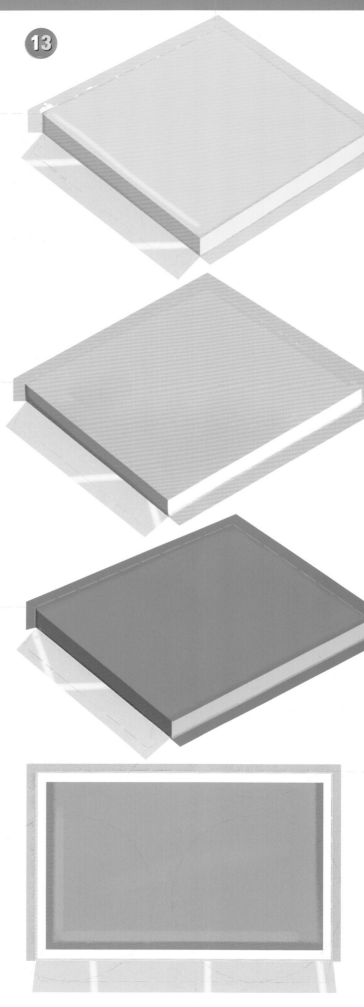

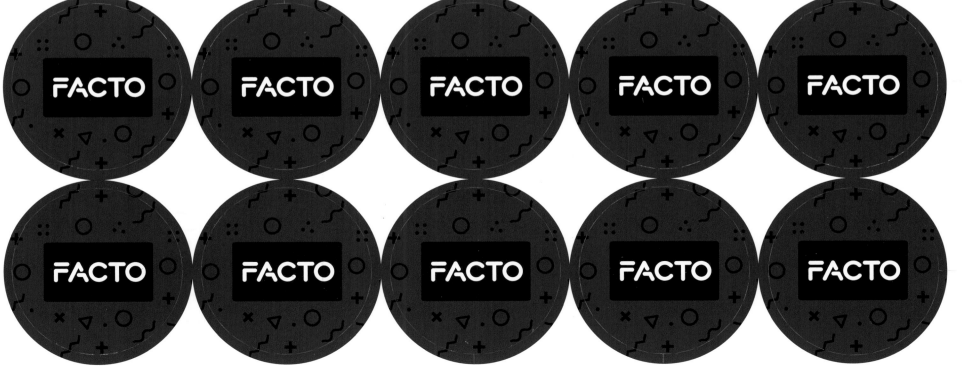

08

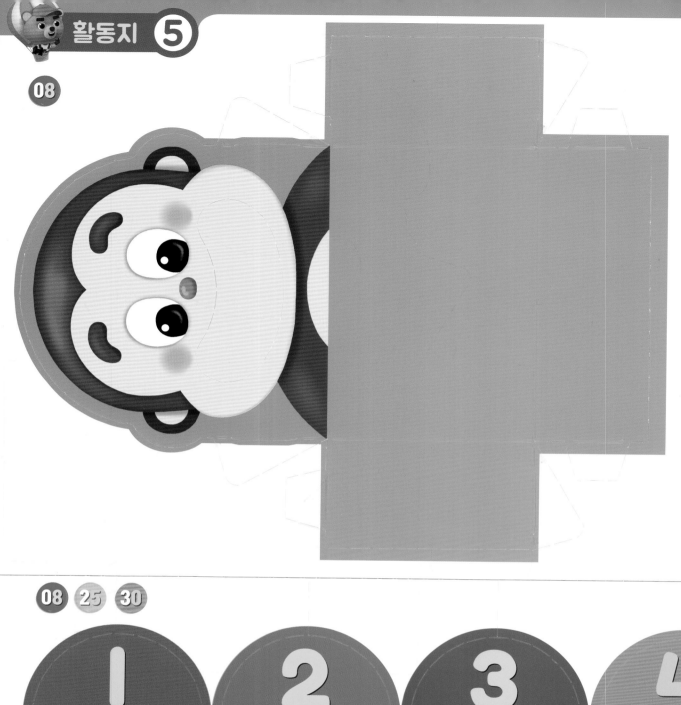

08 25 30

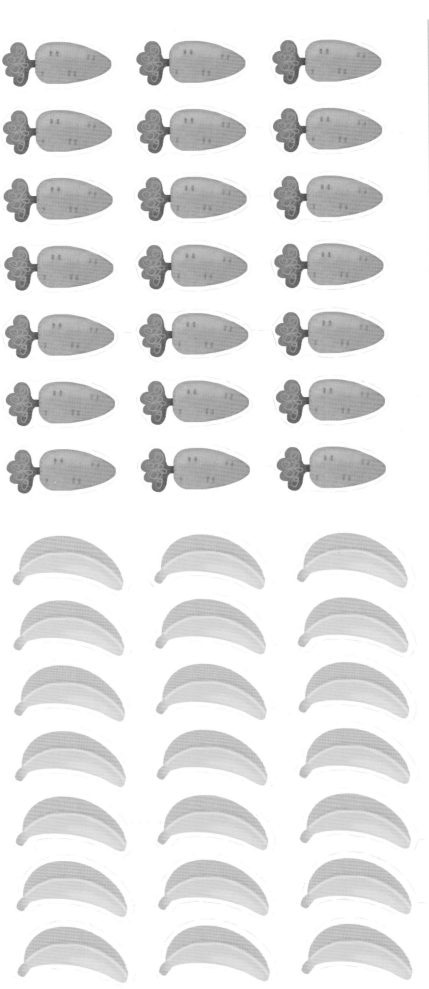

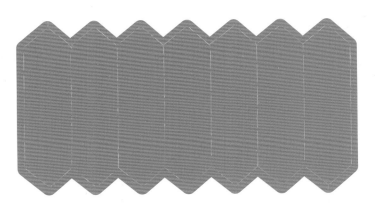

21

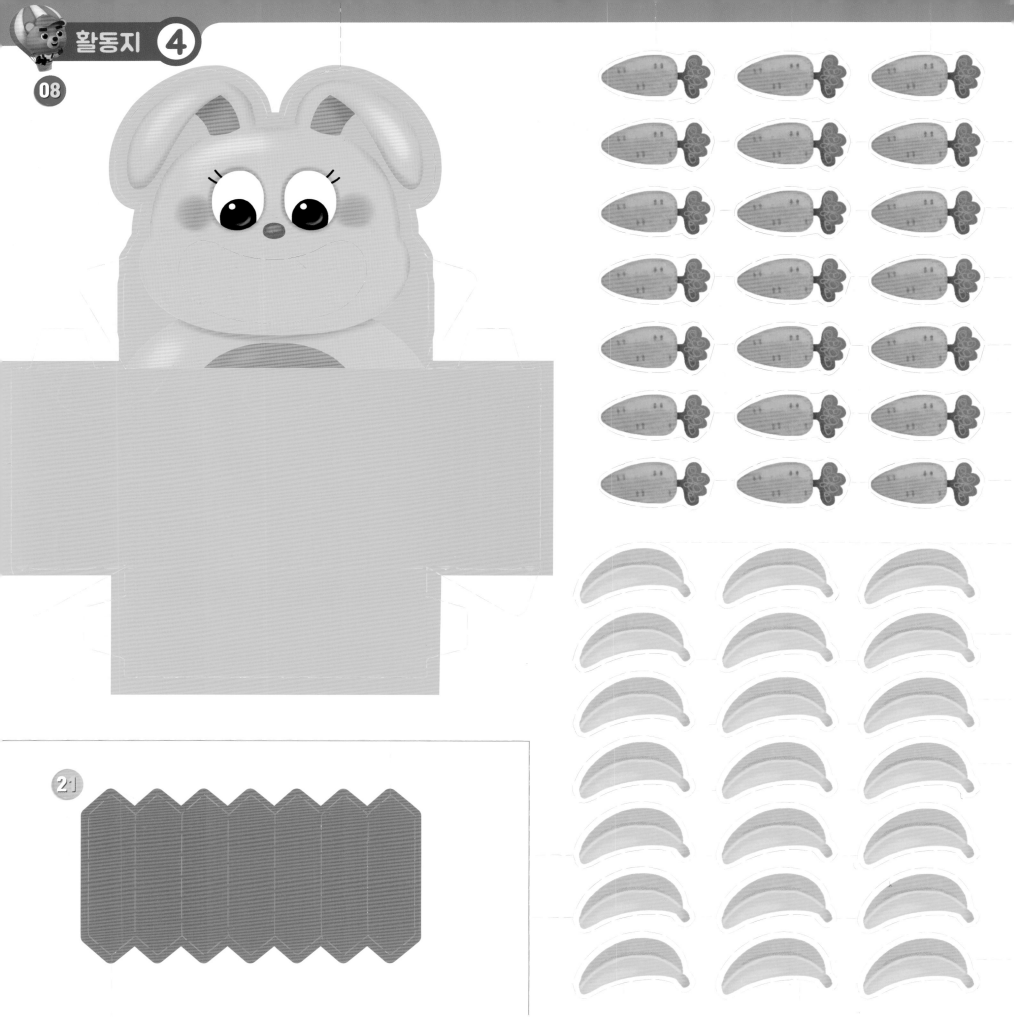

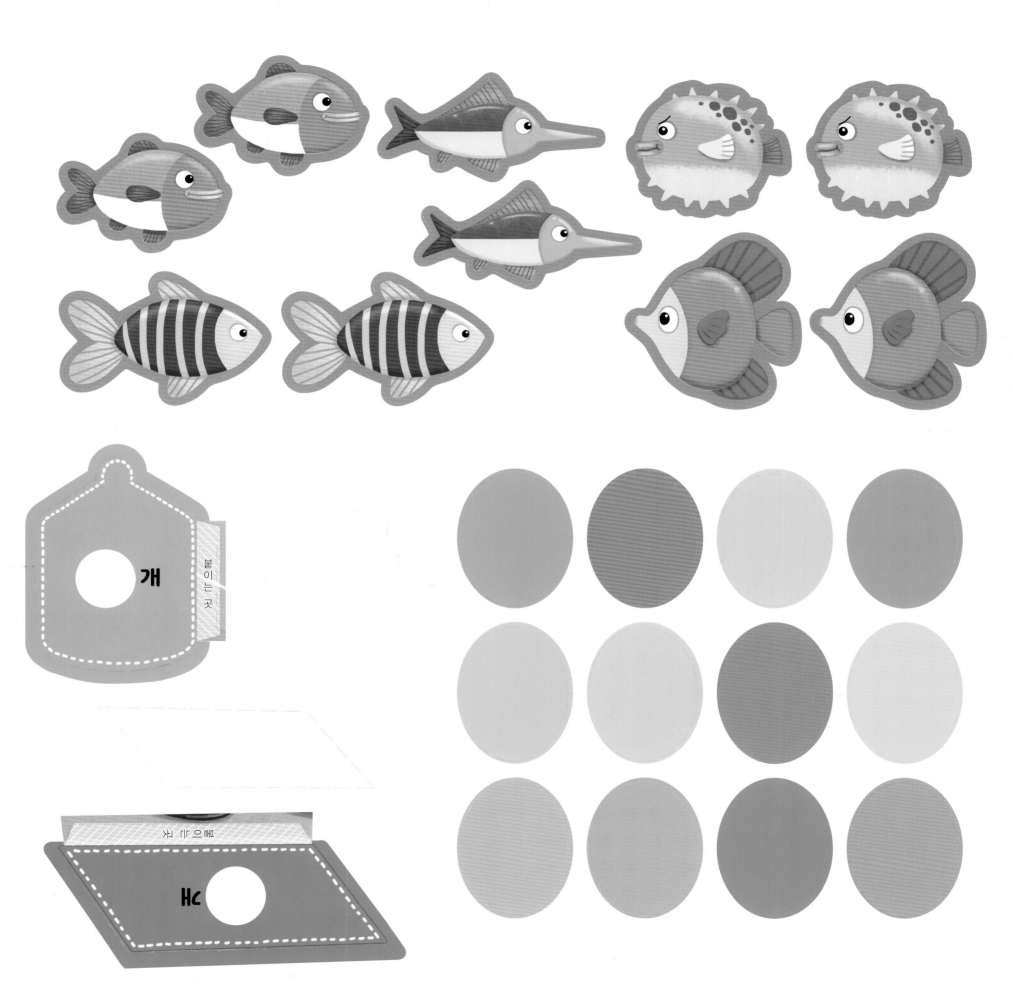

07

15

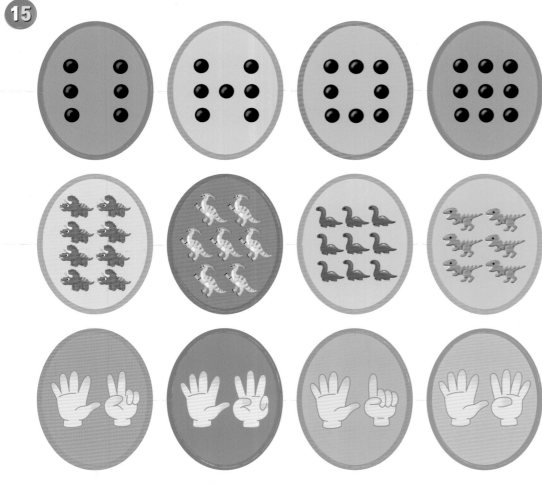

16

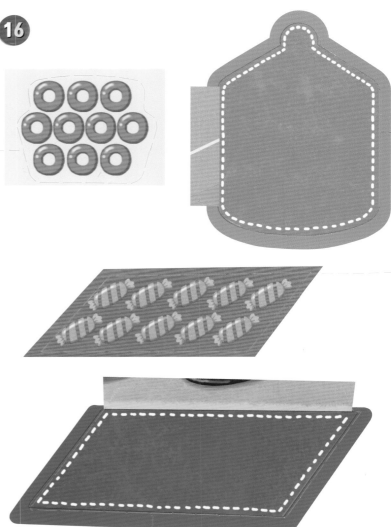

05

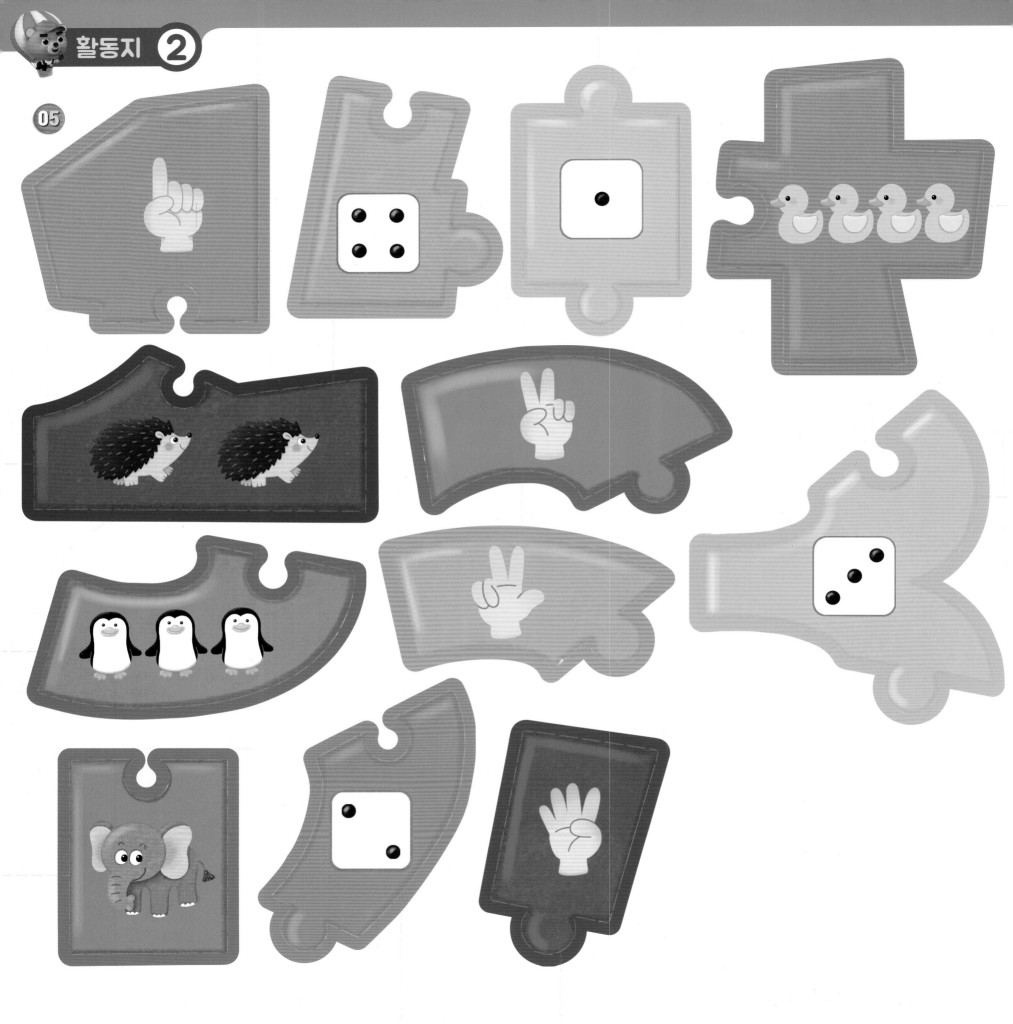

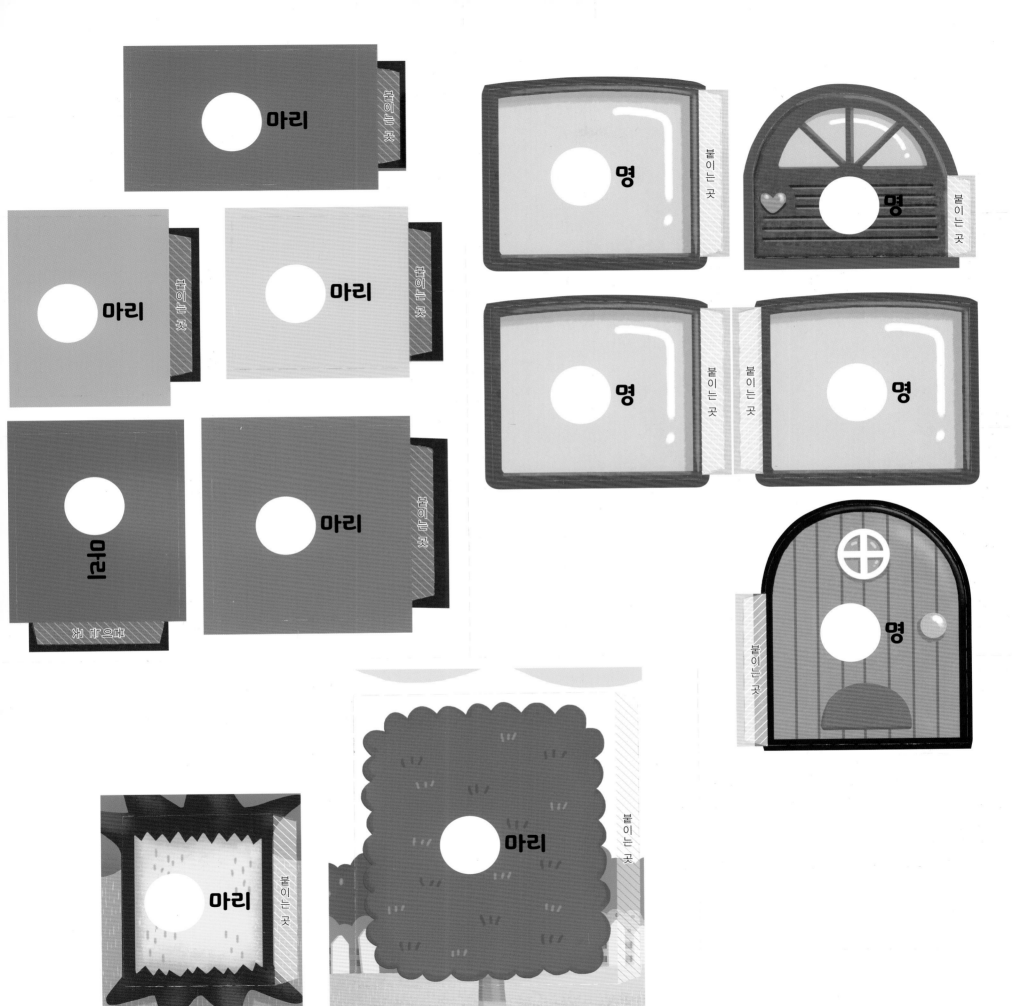

01

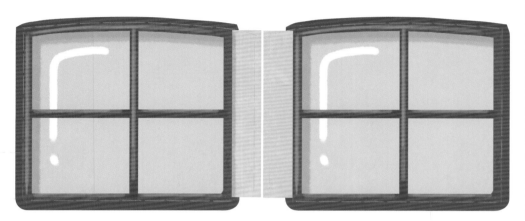
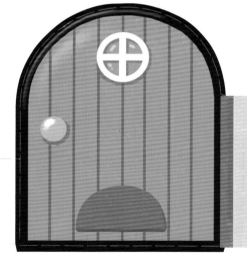

03

사슴 마을

아기 코끼리

펭귄

거북이

토끼야니

06
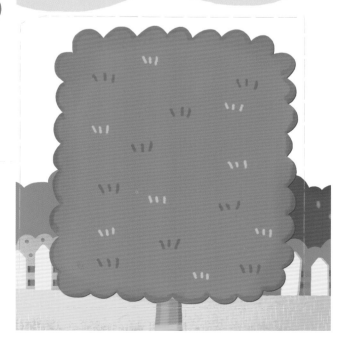

1	2	3	4	5	6	7	8	9	10
1	2	3	4	5	6	7	8	9	10
1	2	3	4	5	6	7	8	9	10
1	2	3	4	5	6	7	8	9	10

12

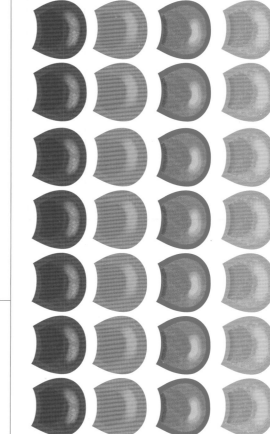

02

04

06

08

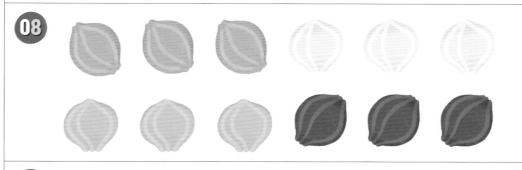

10

1 2 3 4 5

14

28

1	2	3	4
5	6	7	8	9

붙이는 곳

붙이는 곳

풀칠하는 곳

풀칠하는 곳

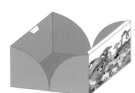

풀칠하는 곳

풀칠하는 곳

FACTO

NUMBERS